UN PAYS SUR LES NERFS

La collection *Le 1 en livre*
est dirigée par Éric Fottorino

Dans la même collection :

Leïla Slimani, *Le diable est dans les détails*
Macron par Macron
Michel Onfray, *La parole au peuple*

L'intégralité de ces textes a été publiée par *Le 1*.
www.le1hebdo.fr

© Le 1/ Éditions de l'Aube, 2017
www.editionsdelaube.com

ISBN 978-2-8159-2289-0

Tahar Ben Jelloun

Un pays sur les nerfs

éditions de l'aube

Avant-propos

J'étais encore un jeune journaliste la première fois qu'un texte de Tahar Ben Jelloun frappa mon esprit. Il s'agissait d'un roman qui tenait aussi de la poésie et du conte oriental, avec une langue imagée, au service d'une histoire venue d'ailleurs, d'un Maroc à mi-chemin entre rêve (ou plutôt cauchemar) et réalité. Le livre s'appelait *Moha le fou, Moha le sage* [Seuil, 1978], et il a marqué ma mémoire. Bien d'autres romans de Tahar Ben Jelloun ont suivi, tel *La Nuit sacrée* [Seuil, 1987] qui lui valut le prix Goncourt, mais aussi d'autres récits en prise avec notre époque, comme *L'Auberge des pauvres* [Seuil, 1998], magnifique évocation de la figure du migrant.

Dès le lancement de notre hebdomadaire *Le 1*, dont il a activement accompagné la naissance, l'écrivain a mis sa plume dans la bataille de l'actualité. Nos lecteurs se sont habitués à lire ses analyses sur les événements brûlants, au sens propre du terme, qui ont assombri nos existences et notre regard sur le monde. On trouvera ainsi dans ces pages des éclairages passionnants et érudits sur le Coran et ses dévoiements par le soi-disant imam Al-Baghdadi, sur le sens du texte sacré des musulmans, ses interprétations, les luttes dont il fut l'objet au VIIe siècle entre les modernes et les obscurantistes, avec ce constat amer sans cesse renouvelé : les progressistes perdirent la bataille, laissant prospérer une vision rétrograde du legs spirituel de Mahomet. Les attentats terroristes en France, comme les exactions de Daech en Irak et en Syrie, ont inspiré à Tahar Ben Jelloun des textes puissants, tantôt remplis de colère et d'émotion, tantôt écrits au scalpel froid d'une pensée rationnelle aux prises avec l'irrationnel. « Ceux qui ont décimé l'équipe de *Charlie Hebdo* avaient aussi pour mission de mettre fin à la liberté dans le pays de Voltaire, écrivait l'auteur du *Terrorisme expliqué à nos enfants* [Seuil, 2016] au lendemain des attentats du 7 janvier 2015. Heureusement que la liberté porte depuis quelque temps un gilet pare-balles qui la protège. Non, la liberté n'a pas été "assassinée". Elle est incarnée dans le peuple de France debout, celui qui est sorti spontanément, une bougie ou un crayon à la main pour dire "Je suis Charlie". »

Pour autant, cette France dans laquelle Ben Jelloun a choisi de vivre depuis 1971 ne cesse de l'inquiéter. Il y voit poindre le racisme, l'antisémitisme des cages d'escalier, l'intolérance à l'autre, les ratés de l'intégration, la fatigue démocratique. « Emil Cioran disait des choses bien méchantes sur les Français et les accusait de "préférer un mensonge bien dit à une vérité mal formulée". Il y a eu tant de mensonges de la part des hommes politiques, de droite comme de gauche que la formule n'est plus importante... » Cette réflexion de l'écrivain franco-marocain avant que n'éclate l'affaire Fillon montre l'acuité de son regard sur notre univers politique. Qu'il brosse un portrait acide mais sans méchanceté de François Hollande ou qu'il traque nos travers, il offre toujours une matière de premier choix pour réfléchir.

Éric Fottorino
Directeur de l'hebdomadaire *Le 1*

Un électrochoc nécessaire

9 avril 2014*

---

* *Le 1* n° 1, « La France fait-elle encore rêver ? ».

Comme dans le roman de Maylis de Kerangal *Réparer les vivants**, la France aurait besoin d'un miracle : une transplantation du cœur. Le grand succès de ce livre est symptomatique d'un réel besoin de « réparation », plus que de « consolation » comme le réclamait pour l'humanité l'écrivain suédois Stig Dagerman.

Le peuple français ne fait plus confiance aux politiques, se méfie aussi des médias, qui participent à leur manière à la dramatisation des problèmes. La lutte des classes, même si on ne prononce plus ces mots, se poursuit et prend des formes inédites. Des révoltes sont plausibles. Des colères existent et se traduisent parfois par des gestes désespérés.

---

* Verticales, 2014.

Si j'ai pensé à cette métaphore, c'est parce que le problème de cette société dépasse les clivages gauche-droite.

L'influence culturelle de la France est mise à rude épreuve partout dans le monde. Pourquoi cette absence de confiance, ce changement de regard, cette appréciation négative, ou du moins indifférente, nourrie par un ensemble d'erreurs et de maladresses ? Dès que surgissent des difficultés économiques, le réflexe immédiat des politiques est de tailler dans le budget de la coopération culturelle. Ils pensent qu'en faisant des économies sur les instituts français, vitrines et visage de la France que les étrangers aiment, ils résoudront des problèmes d'intendance, et partant de finances.

Erreur ! Si la France a joui jusqu'à dernièrement d'une présence appréciable et jalousée par les autres cultures, c'est parce qu'elle avait misé sur ce qu'elle exporte le mieux : la langue, l'intelligence, la pensée, l'imaginaire, l'art, la mode… C'est grâce à cet ensemble de biens culturels riches et originaux, authentiques et enchanteurs, que la France a réussi à développer ses échanges commerciaux et à signer des contrats importants. Heureusement que le cœur de Simon, le donneur de *Réparer les vivants*, exprime tous les sentiments et toutes les émotions sans passer par une langue précise. Si l'on parvenait à transplanter ce cœur jeune et fort à toute une société, on pourrait renouer avec les anciennes espérances, celles qui firent de la France une grande nation, surtout après avoir tourné la page de la colonisation et du complexe de supériorité. J'imagine que le cœur de Simon est sain, c'est-à-dire sans préjugés, allergique au racisme, à la xénophobie, à la haine du juif ou du musulman. Le cœur de Simon a la passion d'entreprendre, de prendre des risques, de suggérer plus de souplesse chez les politiques, de convaincre ces mêmes élus de mettre en veilleuse leurs intérêts personnels pour privilégier ceux de la nation.

Vœux pieux, rêves récurrents, espérances vaines ? Peut-être qu'une transplantation ne suffirait pas, encore faudrait-il un électrochoc, quelque chose qui, par son ampleur, par sa violence, réveillerait pour de bon une société qui a plus besoin que jamais d'une révolution culturelle, une remise en question de tout avec le souci crucial de garantir justice et égalité entre tous les citoyens. Revenir aux choses simples et vraies, renouer avec les valeurs, au moment où les bouleversements des nouvelles technologies nous inondent d'illusions au point de faire oublier morale et conscience. Accepter le nouveau paysage humain de la France qui prend des couleurs, au lieu de croire et faire croire que l'identité française est menacée ou malheureuse. Oui, il est possible d'hériter et de transmettre, comme il est essentiel de découvrir l'altérité et ses sacs pleins d'épices. Répudier la peur et oser l'exigence pour vivre ensemble, même si quelques disputes sont à prévoir. Elles font partie du pari de cette réparation dont a besoin le pays. Tels sont les souhaits du cœur de Simon. Quant à la dame qui serait sauvée par ce don, elle souscrirait en toute lucidité à ce programme, car elle connaît avec précision le prix d'un battement de cœur.

Vu de l'autre rive

*21 mai 2014**

* *Le 1* n° 7, « Peut-on encore aimer l'Europe ».

Cette nuit, j'ai mal dormi. J'étais à Tanger dans une petite maison donnant sur le détroit de Gibraltar. De la fenêtre, je voyais les côtes espagnoles. Des lumières scintillaient comme si elles me lançaient un appel, du genre « Viens, rejoins-nous ! ». Du coup, mon sommeil a été agité. Je me voyais en train de mesurer les quatorze kilomètres me séparant de l'Espagne. Je volais au-dessus de cette mer où la Méditerranée et l'Atlantique se rencontrent. J'atterrissais à Almería, là où commence l'Europe. Puis, dans mon rêve, je revenais vite chez moi. Indésirable. J'eus le temps d'apercevoir une file de camions immatriculés au Maroc qui attendaient au port d'Algésiras. Ils transportaient des agrumes destinés au marché européen. Des tomates et des courgettes, des clémentines et des oranges pourrissaient tranquillement. Les douaniers venaient d'apprendre que le Conseil de l'Union européenne « Agriculture et pêche » avait changé les conditions d'accès des produits marocains sur le marché européen. Changer, pour ne pas dire réduire au maximum.

Cette information, je venais de l'entendre à la radio. Elle ne faisait pas partie du rêve. Mais dans mon demi-sommeil tout se mélangeait et l'idée de l'Europe se transforma en une obsession. Pourquoi le Maroc ne fait pas partie de cette Europe si proche, si fascinante, si contradictoire ? Quelqu'un me répondit en polonais : « L'Est, c'est l'Europe, le Sud, c'est l'Afrique. » En même temps, je reçus un coup de pied assez violent, ce qui me réveilla en sueur. J'entendis une voix amie me dire : « Rends-toi à l'évidence, l'Europe n'est pas pour nous, nous sommes juste bons pour l'émigration, et encore. »

Je repensais aux agriculteurs, aux paysans qui vont voir revenir leurs produits refoulés. Je pensais aux pêcheurs qui se battent avec des barques ridicules contre des chalutiers très performants venus d'Espagne, de France, des Pays-Bas et d'ailleurs.

Cette Europe qui a préféré s'élargir à l'Est et ignorer le Sud m'a donné la migraine. Là, je ne dormais plus. J'étais debout à faire les cent pas dans la chambre, regardant les dernières lumières du rivage d'en face s'éteindre comme dans un décor de théâtre où on vous signifie la fin du spectacle.

Assis sur une chaise comme un retraité ne sachant que faire de ses souvenirs, je me mis à penser au Maghreb. Ah, si les cinq pays du nord de l'Afrique pouvaient s'inspirer de l'idéal européen ! Unir les efforts, créer un grand marché, une monnaie unique, et constituer une force politique capable de parler d'égal à égal avec l'Europe. Devenir une entité crédible et respectée, refuser de céder aux égoïsmes et partager les richesses afin que ces peuples puissent vivre dans la dignité et la prospérité.

Hélas ! Ce ne fut même pas un rêve, mais le début d'un cauchemar : je vis la

Libye où des tribus s'entretuent ; je vis l'Algérie qui ne sait que faire des milliards du pétrole et du gaz avec un peuple pauvre et frustré ; je vis la Mauritanie empêtrée dans ses problèmes de pauvreté ; je vis le Maroc en train de se battre pour son intégrité territoriale face au voisin algérien qui empêche toute solution politique au conflit du Sahara ; je vis la Tunisie qui se bat aussi pour appliquer sa nouvelle Constitution révolutionnaire et qui espère des jours meilleurs.

Alors, l'Europe est loin. De ma terrasse, je suivis le ballet magnifique de moineaux libres formant des cercles, des losanges, des figures signifiant l'espoir.

Le califat sauvage

24 septembre 2014[*]

---

[*] *Le 1* n° 25, « L'État islamique mérite-t-il son nom ? ».

L'État islamique djihadiste du sinistre calife autoproclamé Abou Bakr Al-Baghdadi vient de loin. Il faut remonter à des temps où cet individu n'était pas encore né. Pour faire simple, datons son origine du 29 août 1966, le jour où le président égyptien Nasser a fait pendre Saïd Qotb, leader du mouvement des Frères musulmans. Un martyr. À l'époque, l'islam n'était pas encore utilisé comme arme de guerre. On opposait ses valeurs à celles du progressisme marxisant et surtout totalitaire. La Syrie et l'Irak suivaient l'idéologie baassiste qui était vaguement socialiste et surtout totalement laïque. Mais aucun État arabe n'était démocratique. Le pouvoir s'héritait de père en fils ou bien on s'en emparait par la violence des coups d'État. Grand admirateur de Nasser, le jeune Kadhafi arrive au pouvoir par un coup d'État le 29 septembre 1969.

La seconde date importante est la naissance de la République islamique d'Iran avec l'arrivée de l'ayatollah Khomeiny, qui proclamait, en 1978, que « l'islam est politique ou n'est pas ». Au même moment, des Afghans chassaient les occupants soviétiques au nom de l'islam. La suite, on la connaît. Intervention américaine et émergence des talibans, précurseurs dans la barbarie. Le sommet en fut la destruction de l'art gréco-bouddhique en 1998, puis le dynamitage de la statue du grand Bouddha dans la vallée de Bâmiyân en mars 2001. Il n'y eut aucune réaction officielle dans le monde musulman.

À partir de la fin des années soixante-dix, les notions de djihad et de république islamique s'imposent dans les luttes et vont jusqu'à contaminer la révolution palestinienne qui n'utilisait pas la religion et surtout l'islam comme idéologie de combat. Pour isoler Yasser Arafat, Ariel Sharon encourage discrètement la création du Hamas. Chiites et sunnites s'opposent notamment au Liban, où le Hezbollah est très actif, armé et financé par l'Iran à travers son allié syrien présent sur le sol libanais. Aujourd'hui, ce mouvement prête main-forte à Bachar Al-Assad contre les rebelles laïcs et démocrates. En même temps, un accord aurait été passé entre Al-Assad et les leaders des djihadistes qu'il épargne dans ses bombardements.

Ainsi, c'est l'absence d'une démocratie véritable dans le monde arabe et musulman, c'est l'autoritarisme de chefs illégitimes, c'est l'accumulation d'injustices sociales doublées de corruption et d'arbitraire qui vont se conjuguer pour donner naissance à des aberrations comme l'actuel État islamique qui s'étend dans une partie de l'Irak et de la Syrie et menace les pays de la région. Mais sans l'invasion illégale et insensée de l'Irak par l'armée américaine en mars 2003, ce pays n'aurait pas été ce champ de ruines, plaque du terrorisme international. Ne serait-ce que pour cela, G.W. Bush devrait être jugé par le Tribunal pénal international.

On entend souvent la question qui fait mal : est-ce que la violence d'Al-Baghdadi et de ses séides est contenue dans l'islam ? On peut répondre en rappelant l'histoire du catholicisme. Mais ce serait esquiver une question embarrassante. Évidemment, l'islam prêche la paix et la tolérance, cultive des valeurs humanistes ; en même temps, il y est question de djihad, de lutte contre les mécréants, d'apostasie et de bien d'autres choses qui sont interprétées de manières diverses. Tout est relatif et tout dépend de l'interprétation qu'on donne de tel ou tel verset. N'empêche, jamais l'islam n'a prôné le suicide en vue de provoquer des massacres, jamais l'islam n'a dit qu'il fallait prendre des otages et les décapiter, jamais il n'a non plus répandu l'ignorance afin d'égarer les esprits faibles ou malveillants. Que de crimes sont commis au nom de l'islam. C'est aux musulmans de se mobiliser pour démasquer ces barbares, mais ils ne le font pas parce qu'ils sont dans le doute ou bien ils ont peur.

L'État islamique djihadiste est une menace sérieuse pour tout le monde arabe, mais aussi pour l'Europe. Des milliers de jeunes Européens, dont certains sont d'origine maghrébine, se trouvent actuellement sur le front de la guerre que mène le pseudo-calife. Ils retourneront un jour en Europe sans qu'on les repère, sans qu'on le sache, et là ils passeront à l'action. Car dans la tête d'Al-Baghdadi et de ses semblables, la lutte contre l'Occident est inévitable. Reste à savoir qui finance, qui arme cet État sanguinaire. Il faut rappeler que des États du Golfe ont apporté de manière officieuse leur aide à certains mouvements. Ce n'est que dernièrement que l'Arabie saoudite a condamné officiellement ce « califat » sauvage.

Que faire ? Si l'Amérique et l'Europe ne s'engagent pas davantage, nous verrons dans quelques mois des djihadistes européens semer la terreur dans les villes européennes ainsi qu'au Maghreb. L'islamisme radical a déclaré la guerre à l'Europe et au Maghreb. Ce serait une erreur de croire que les frappes américaines et françaises suffiront à mettre hors d'état de nuire Al-Baghdadi et ses suiveurs.

Il faut prendre au sérieux le discours de ce dernier. Il a prouvé sa détermination en décapitant trois malheureux otages. S'il n'est pas combattu avec les armes qu'il faut, s'il n'est pas anéanti militairement, physiquement, il avancera, fera le malheur des pays voisins, enverra ses sbires tuer des innocents à travers le monde. Même si l'islam a bon dos dans cette affaire, il est urgent que les pays musulmans sachent que cet État djihadiste est destiné à les déstabiliser, à les ruiner et à les transformer en autant d'enfers.

Une enquête rigoureuse devrait rechercher l'origine des bailleurs de fonds de cet État, car les vols qu'il a commis dans les banques de Mossoul ne suffisent pas pour entretenir une armée aussi forte. Que les États arabes se réveillent et qu'ils s'unissent, ne serait-ce qu'une fois, pour isoler les barbares, les désarmer et les juger. Sinon, il n'y aura plus de sécurité nulle part.

Sept mots

19 janvier 2015 *

_____

* *Le 1* n° 39, « Ils n'ont pas tué Charlie ! ».

J'aurais aimé faire un dessin, quelques traits qui finissent dans le ciel, dessiner un arbre arraché dont les racines partent vers les nuages, un arbre ou une forêt saccagés en quelques minutes et éliminés de l'existence, mais ce matin, je ne sais plus dessiner, je suis assis, non pas résigné mais accablé par des mots qui arrivent de partout et pèsent de tout leur poids sur mes épaules. Ces mots m'obsèdent, ne me lâchent plus depuis ce mercredi matin 7 janvier. Ce sont les mots qui accourent quand le chagrin vous submerge, quand la tristesse s'installe dans les yeux et fait mal. Des mots qu'on entend et dont le sens s'éparpille, parfois vient s'écraser contre une vitre comme une mouche aveugle.

Le premier mot qui s'est imposé à moi : **liberté.**

C'est pour la retrouver que j'avais quitté le Maroc en 1971. Le pays était en « état d'exception ». La police avait tous les pouvoirs. Arbitraire. Répression. Plus aucune liberté. La fuite, l'exil. Ceux qui ont décimé l'équipe de *Charlie Hebdo* avaient aussi pour mission de mettre fin à la liberté dans le pays de Voltaire. Heureusement que la liberté porte depuis quelque temps un gilet pare-balles qui la protège. Non, la liberté n'a pas été « assassinée », comme l'a titré un quotidien. Elle est incarnée dans le peuple de France debout, celui qui est sorti spontanément mercredi soir, une bougie ou un crayon à la main pour dire « Je suis Charlie ».

Le deuxième mot : **colère**.

Oui, ma colère est rouge, bleu, noir. Elle est agitée, brute, sans nuances. Elle sillonne ma mémoire et en retire quelques souvenirs où des enfants sont exécutés à l'entrée de leur école, ou d'autres enfants, à Homs, ont la peau brûlée par les gaz chimiques de M. Al-Assad.

La liste est longue. Je me détourne et je regarde attentivement le dernier dessin de Charb où il demande à un terroriste : « Alors pas d'attentat ? — On a tout le mois de janvier pour présenter ses vœux. » Des vœux qui ont fait couler le sang d'artistes, de poètes – des conteurs, des dessinateurs sans haine, sans préjugés, des innocents qui mettaient de la couleur et de l'humour sur nos problèmes. Ils s'amusaient à décrypter l'actualité avec insolence, pertinence, intelligence.

Le troisième mot : **islam**.

Comme au lendemain du 11 septembre 2001, j'ai tout de suite pensé que l'islam allait être sur le banc des accusés. Ce sont les musulmans qui payeront cette facture de terreur et de crimes. Des gens modestes, des travailleurs consciencieux, des familles prises en otage par les acteurs du Mal. Des gens entraînés en Irak ou au Yémen ont appris à donner la mort avec une férocité et une froideur qu'ils essaient de maquiller avec le voile d'une religion.

Islam, *salam*, paix, sérénité en deuil.

Le quatrième mot est **un sourire**, celui de Cabu. Comme disait Daniel Pennac à *La Grande Librairie* : « Comment peut-on tirer une rafale de mitraillette sur le visage d'ange de Cabu ? » Incompréhensible. Assassiner un sourire, une immense gentillesse, un éternel adolescent, un danseur tellement léger qu'il vole au-dessus de nos têtes, une étoile qui a filé à toute vitesse. Ce sourire ne me quitte pas ; il est sa carte de presse et de farceur.

Le cinquième mot : **vengeance**. Ils ont dit : « Nous avons vengé le Prophète. » Son esprit ne leur a jamais rien demandé. Le prophète Mahomet, quand il s'adressait à ses soldats avant une bataille, leur recommandait expressément de « ne pas tuer les femmes, les enfants, les vieillards ; de ne pas arracher un palmier ou un arbre ; de ne pas détruire les maisons ; et s'ils rencontrent des moines dans leurs cellules, qu'ils les laissent en paix » (voir *Al-Sîra*, de Mahmoud Hussein, Fayard, 2007, t. 2, p. 510).

Sixième mot : **ignorance**.

C'est parce que l'ignorance et la peur sont ce qui suscite, provoque, fonde le racisme et l'intolérance. On peut ne jamais avoir été à l'école et avoir une humanité généreuse et bonne. Mais le pire, c'est l'absence totale d'éducation. Plus que jamais les écrivains, les artistes, les intellectuels, les artisans, tous ceux qui le peuvent, devraient visiter les écoles, parler aux enfants, leur donner l'envie de poésie, le désir de vivre en voyageant dans les œuvres écrites, peintes ou filmées.

De l'école, il faut passer à la prison. Là aussi, un travail important devrait être fait, car il s'agit de montrer à des jeunes gens, les accidentés de la vie, qu'il existe d'autres chemins, que la religion est une affaire privée, que la spiritualité est plus essentielle que certaines démonstrations de religiosité qui finissent par verser le sang des innocents.

Septième mot : **résistance**.

Ces derniers temps, la France du repli exprimait des idées qui sentaient mauvais. La France perdait lentement son âme, ne reconnaissait plus son patrimoine, ses traditions. Des esprits étroits, mesquins, occupaient les médias pour dire sous le poids de leur médiocrité ou de leur égoïsme las combien ce pays s'est laissé

« envahir », combien son identité aurait été brouillée, rendue malheureuse parce que contaminée, combien il retrouverait son être et sa grandeur si on le débarrassait de tous ces métèques venus, non pour vendre leur force de travail, mais pour profiter de sa bonté. Ainsi, des rumeurs et des humeurs se dégageaient de certains plateaux de télévision, des insinuations grossières laissaient filtrer un racisme décaféiné, c'est-à-dire un racisme *light* en apparence, mais qui suscite les mêmes malheurs, les mêmes catastrophes que le racisme arrogant.

Alors, le 7 janvier 2015 a été, comme l'aurait dit Cabu, « un poing dans la gueule », une gueule qui n'a plus envie de se taire, plus envie de laisser passer le discours des salauds assez malins pour jouer sur le registre de la liberté et de la démocratie pour écraser ceux qui ne peuvent se défendre. Nous devons résister non seulement à la terreur planifiée par les ennemis de la démocratie, mais aussi aux discours et programmes de ceux qui tirent la France vers la laideur, la peur et la haine.

Lire le Coran

19 janvier 2015*

Lorsque le prophète Mahomet meurt le 8 juin 632, il ne laisse pas de consignes concernant les versets que l'ange Gabriel lui a transmis. Ses compagnons les connaissent par cœur, certains les ont transcrits sur des supports. Le Coran en tant que corpus, en tant que *Mushaf*, n'existe pas. Il faudra attendre plus de vingt ans pour qu'Uthman, le troisième calife, réunisse une commission composée de six compagnons qualifiés afin que chacun fasse appel à sa mémoire pour écrire les versets dont il se souvient.

Les sourates (chapitres) sont reproduites sans voyelles. Ce n'est que deux siècles plus tard qu'une version voyellée sera disponible pour le grand public. C'est à partir de ce moment que deux visions du monde vont s'affronter à travers la lecture du Coran. La première est portée par des théologiens appartenant au courant mutazilite, des rationalistes lisant le texte de manière symbolique et métaphorique. Pour eux, « la volonté divine est rationnelle et juste ; les hommes peuvent en saisir le sens et y conformer leurs actes », autrement dit, le Coran est créé. Par ailleurs, des philosophes comme Al-Kindi, Al-Farabi, Avicenne et Averroès étudient la nature en soi et non la nature comme témoin de la toute-puissance divine. Ces courants, qu'on qualifierait aujourd'hui de modernes, pour ne pas dire audacieux, vont trouver face à eux des traditionalistes pour qui le Coran est non seulement incréé, mais doit être lu de manière littérale sans aucune distance ni interprétation. Tout le malheur que connaît le monde musulman aujourd'hui vient de cette victoire de l'obscurité sur la lumière, du rigorisme sur l'intelligence.

C'est le courant littéraliste qui l'emportera et débouchera, plusieurs siècles plus tard, sur ce qu'on appelle l'« intégrisme », le « fondamentalisme », dont le promoteur est Mohammed Ben Abd Al-Wahhab, un Saoudien du

XVIIIᵉ siècle qui fera de l'islam un dogme pur et dur, celui qui sévit aujourd'hui en Arabie saoudite et au Qatar. Le wahhabisme est une application stricte de la *charia*.

Si les versets ne sont tributaires ni du temps ni de l'espace, alors c'est qu'aucune intelligence n'est possible. C'est la défaite de la raison face au dogme d'une parole de Dieu de même nature que Dieu lui-même. Or, en lisant bien le Coran, on découvre que c'est le contraire qui y est développé. Plusieurs versets sont arrivés dans un contexte précis, réglant ou commentant des situations se déroulant en un temps précis. D'autres versets ont une portée qui dépasse le cadre temporel.

Le dire aujourd'hui est une provocation que les obscurantistes ne peuvent tolérer, car elle mettrait en danger leur fonds de commerce qui abrutit les masses et les pousse vers un islam dénaturé, détourné de son essence et de son esprit. La défaite de la raison est aussi celle de l'humanisme qu'on trouve dans le Coran. Évidemment, l'ignorance l'emporte plus souvent sur le savoir. La notion d'imprescriptibilité du Coran a débouché sur une rigidité en contradiction avec l'incitation à l'acquisition du savoir telle qu'elle est inscrite dans plusieurs versets.

Dans *Ce que le Coran ne dit pas*, un essai précis et courageux signé Mahmoud Hussein et paru chez Folio [2013], le problème est résumé en ces termes :

> En montrant que l'islam est à la fois un message divin et une histoire humaine, en réintégrant la dimension du temps là où la Tradition ne veut voir que l'éternité, en retrouvant la vérité vivante de la Révélation sous les interprétations qui prétendent la figer une fois pour toutes, la pensée réformatrice est une école de liberté et de responsabilité. Elle offre à chaque croyant la chance de conjuguer sa foi en Dieu avec son intelligence du monde.

En rendant la parole de Dieu à son origine, à son contexte, on ne la dénature pas. Mais tant que le savoir est tenu à l'écart et remplacé par des *fatwas* arbitraires et sans fondement, l'islam restera pris en otage entre l'ignorance et l'opportunisme idéologique.

La Méditerranée,
éternel cimetière marin

13 mai 2015 *

* *Le 1* n° 56, « Migrants, fantasmes et réalités ».

En 1920, Paul Valéry a écrit un long poème métaphysique sur le temps et la mort. Il l'a appelé *Le Cimetière marin* parce qu'il avait été obsédé par le mystère de la mer, la fascination de ses secrets et la quête de l'immortalité. Depuis, chaque fois que des marins sont avalés par les flots et ne reviennent plus, on parle de la mer en tant que tombeau insondable et sans appel.

En regardant les photos de ces corps d'immigrés ayant trouvé « asile » dans les fonds marins au large de Lampedusa, on pense à ce poème avant d'imaginer comment et pourquoi ces personnes ont eu cette fin tragique. Ainsi, des hommes et des femmes ont fondu dans une épaisse absence, dans une profonde solitude. La mer est devenue leur dernière demeure, le cimetière de tout ce dont ils ont rêvé, le tombeau de toutes leurs espérances. Leurs yeux se sont perdus dans les flots. Leurs corps se sont dissous dans les algues et le silence. Leur mémoire s'est vidée de ses souvenirs. Que dire ? Qu'écrire ? Les dieux et le ciel sont indifférents.

Partis de l'Afrique subsaharienne, de Libye ou de Syrie, ils ont vécu avec l'Europe dans les yeux, une illusion, une erreur. Ils savaient que d'autres avant eux avaient fait ce voyage et qu'ils avaient perdu la vie. Mais que vaut une vie sans dignité, sans travail, sans lumière intérieure ? Quand on n'a plus rien à perdre, on tente l'impossible. Leur destin prend alors le chemin de l'exil et tombe en morceaux jusqu'à ce que l'âme expire.

Ils ont marché et traversé des pays, des montagnes, des mers, et enfin ils ont abouti de nuit dans une citerne noire qui les a broyés, avalés, certains furent rejetés, d'autres sont restés dans les profondeurs marines. Ces corps sont là comme des objets trouvés dans un navire qui aurait fait naufrage. Ce sont des pièces à conviction dans un procès qui n'aura jamais lieu.

Ils sont encore habillés. Mais que sont devenus les rêves qu'ils avaient fabriqués, y mettant de la couleur et de la musique ? Ils se sont dissous dans cette mer dévoreuse de vies, impitoyable et sans recours.

Les guerres qui déchirent la Syrie, l'Irak et la Libye, entre autres, ont pour conséquence inattendue de pousser des familles entières à accepter le marché proposé par des passeurs mafieux en vue de trouver une terre d'asile en Europe.

Il n'y a pas que les clandestins subsahariens qui meurent au large des côtes méditerranéennes. À présent des réfugiés syriens, libyens et irakiens perdent la vie, noyés.

1 300 morts depuis janvier 2015. L'an dernier, on a compté 3 500 noyés. Pas un jour, pas une nuit sans que des hommes et des femmes se noient ou soient sauvés dans des conditions difficiles. L'Europe s'est réunie. Des décisions ont été prises. Rien d'extraordinaire. Le drame continue. Elle aurait pu au moins mettre sur pied une politique de coopération avec les pays d'où partent ces candidats à l'exil, se donner

les moyens pour mener une lutte efficace contre la mafia des nouveaux esclavagistes. L'affaire se complique avec ceux qui fuient la Syrie ou l'Irak. La Libye n'est pas un État. C'est un assemblage de tribus avec deux gouvernements, l'un reconnu par les Nations unies, l'autre pas. La Syrie est dirigée par un massacreur de son propre peuple et se moque pas mal de ceux qui fuient les bombardements, qu'ils viennent de l'armée de Bachar ou des hordes de Daech.

L'Europe a encore une fois montré son incapacité à régler un problème grave. Il n'est pas question d'accueillir toute la misère du monde. Mais si elle n'agit pas de manière concertée et concrète en essayant de soigner le mal à la racine, ces milliers de désespérés continueront à tenter leur chance. La mort ne leur fait plus peur.

La part maudite
de la guerre d'Algérie

9 septembre 2015 *

Lorsque je suis arrivé en France en 1971, l'immigration n'existait pas. Certes, 3 millions d'étrangers faisaient le sale boulot, mais on ne les voyait pas, on n'en parlait pas. Ils étaient pour la plupart dans des cités de transit, en dehors des villes, rasant les murs. Mais le prix du baril de pétrole va subitement augmenter et on le reprochera aux Arabes détenteurs d'immenses réserves de cet or noir. À l'été 1973, les immigrés, surtout algériens, vont « envahir les médias ». Le 25 août, un déséquilibré tue un conducteur de bus à Marseille. Cet acte avait été précédé par des ratonnades organisées par des groupes de mouvements d'extrême droite comme Ordre nouveau ou le Club Charles-Martel, qui publiera un tract disant : « Il y a plus d'Algériens en France qu'il n'y avait de pieds-noirs en Algérie. » À Grasse est constitué un « comité de vigilance des commerçants et artisans grassois » pour dénoncer la présence d'immigrés qui mettraient en danger « la sécurité des citoyens ». Le 21 juin, Ordre nouveau organise un meeting à la Mutualité, « Halte à l'immigration sauvage ». Durant cet été, Alger déplore d'innombrables violences contre la communauté algérienne installée en France.

Depuis, l'immigration ne quitte plus les pages d'informations. M. Giscard d'Estaing décide d'accorder « le regroupement familial » en 1976, une bonne chose sur le plan humain. Mais, parce que mal préparé, ce décret va engendrer de nouveaux problèmes dont nous connaissons aujourd'hui toute l'étendue.

À ce niveau de l'histoire, l'immigration, surtout algérienne, sera perçue par une majorité de Français comme « la part maudite » de la guerre d'Algérie, dont les blessures sont encore vives. Pendant ce temps-là, la France reçoit des dizaines de milliers d'Asiatiques qui fuient la guerre au Viêt-nam et au Cambodge.

Quant à l'immigration portugaise, la plus importante en nombre, on n'en parle pas. Ce qui dérange, c'est la présence des Arabes sur le sol français. Plus tard, on dira que l'islam est incapable de s'adapter aux lois de la République.

Aujourd'hui, ce ne sont pas des immigrés légalement installés qui créent des problèmes. C'est leur progéniture, évidemment pas tous les enfants, mais il suffit d'une centaine ou d'un millier de candidats au djihad pour que la confusion et l'amalgame s'installent dans l'esprit des gens qui ne se sentent pas en sécurité. Que ce soit le forcené du Thalys ou l'amoureux jaloux qui a égorgé sa petite amie, toute une communauté est stigmatisée.

C'est dans cet état de peur et d'incertitude que des exilés politiques et des clandestins économiques essaient d'entrer en Europe. L'étranger est devenu indésirable. Le discours démagogique de la droite et de l'extrême droite aidant, les Français ont perdu, ou négligé, le sens de l'hospitalité et de l'asile. Pendant ce temps-là, l'Allemagne dit avoir besoin de plusieurs millions de travailleurs pour faire tourner ses usines. On sait par ailleurs que des centaines de milliers d'emplois ne sont pas pourvus en France. Dire que certains chômeurs ne veulent pas de ces emplois vous fait passer pour un mauvais citoyen. Il faut rappeler que le chômage n'est pas dû à la présence des immigrés, mais à la mauvaise politique du travail, à son coût, à ses charges, aux 35 heures appliquées indifféremment aux fonctionnaires et aux manuels qui effectuent des travaux pénibles. L'immigration a bon dos. Elle a toujours été accompagnée de fantasmes hideux et de préjugés où le racisme resurgit dans sa brutalité.

Contre la vie

18 novembre 2015 *

---

* *Le 1* n° 83, « Résister à la terreur ».

C'est au mode de vie, à la culture et à la joie de vivre que se sont attaqués les terroristes vendredi soir. Un match de foot, un concert de musique rock, un restaurant, un bar, un café et puis la rue, c'est-à-dire la vie quotidienne des Parisiens qui sortent la veille du week-end pour souffler, s'amuser, s'instruire. C'est cette vie-là, avec ses petites habitudes, ses joies simples, ses amitiés réunies, ce sentiment de partage, que ces individus ont voulu assassiner, comme ceux de janvier ont tenté d'assassiner la liberté d'expression, d'écrire, de dessiner, de rire de tout, y compris du sacré.

Il y a là une logique qui nous échappe, parce que notre surmoi nous guide et nous protège de ce genre de dérive. Mais on peut faire l'effort de comprendre et d'expliquer l'horreur, même si son expression s'inscrit dans le refus de l'humain, de la faiblesse humaine. Notre mode de vie, la culture que nous privilégions, cette liberté chèrement acquise par plusieurs luttes, cette démocratie qui gère notre relation à l'autre, à la loi et au droit, bref cette civilisation est insupportable pour les soldats de la haine et de la barbarie. Ils opposent à ce vivre-ensemble une religion où se mêlent aussi bien le prêche pour la vertu que le trafic de drogues, le proxénétisme, l'esclavage sexuel, la vente de petites filles, les têtes coupées, le vol et le viol, l'ignorance satisfaite et la brutalité meurtrière.

Est-ce une religion ? C'est plutôt une couverture, un alibi. On va chercher dans l'islam du VIIe siècle, dans ses guerres et ses luttes, de quoi nourrir l'appétit d'une domination sans limites ni frontières.

Mais tout cela n'est pas arrivé par hasard. Rappelons la guerre d'Irak lancée par George W. Bush en mars 2003 sur des bases mensongères. On peut même remonter à 1952, date du premier coup d'État en Égypte, lequel sera suivi par des dizaines d'autres coups de force débouchant sur un

pouvoir totalitaire exercé par des dicta-
teurs comme Kadhafi, Saddam Hussein,
Al-Assad père et fils, Ben Ali, Moubarak,
le Soudanais Omar El-Béchir, sans
oublier la nébuleuse des pays du Golfe qui
financent ceux qui se battront pour eux.
C'est à cause de cette absence de démocratie et de liberté, où l'individu arabe n'a
aucune existence ni reconnaissance, que va
s'épanouir un « califat » anachronique et
ennemi des peuples et des arts. Daech n'a
été possible matériellement et politique-
ment que parce que des États du Golfe lui
ont procuré armes et argent. Évidemment,
ce n'est pas officiel. L'argent serait passé
par des hommes d'affaires qui ont misé sur
un hypothétique « État islamique » et qui
ont, comme dans un casino, joué la carte
du malheur pour continuer à faire fruc-
tifier leurs milliards tout en menant une
vie de débauche qui nous donne la nausée
et provoque un dégoût que partagent les
peuples arabes.

La responsabilité arabe dans l'existence
de Daech est évidente. Nul besoin de
rejeter la faute sur l'Occident, même si sa

politique au Proche-Orient et en particulier son manque de fermeté à l'égard du
régime de Bachar Al-Assad (se souvenir
d'août 2013, quand il a utilisé les armes
chimiques contre son peuple) ont ouvert
la route à l'arrogance daéchienne. Il faut
rappeler aussi le jeu ambigu et pervers de
la Turquie et le cynisme absolu de Poutine
qui ne connaît aucun état d'âme et qui
avance dur et froid.

Les attentats de vendredi ont été prépa-
rés, synchronisés. Ils visaient un but précis :
semer la terreur parmi les anonymes, ceux
qui vivent normalement. Il fallait briser
cette normalité, installer la peur partout
dans les lieux publics. Ce ne sont pas des
amateurs. Ce sont des gens entraînés. Ils
ont depuis longtemps accepté d'échanger
leur instinct de vie contre l'instinct de
mort, surtout celle des innocents. Leur vie
ne compte pas, ils sont déjà ailleurs, dans
un autre monde, une autre planète où des
sentiments simples comme la peur ou la
frayeur n'existent plus.

Plus que jamais, les pays musulmans,
ceux qui croient à l'islam de paix, ceux

qui croient à la fraternité monothéiste, doivent se mobiliser, car on a volé et violé leur religion, au nom de laquelle on massacre des innocents. Réagir en masse, provoquer un « printemps de l'islam », un islam renouant avec ses siècles de lumière et de savoir. Dire et crier : « Pas en mon nom ! » Revenir à l'éducation, à la péda-gogie quotidienne et lutter pour remettre les valeurs à leur place. Encore faudra-t-il que les musulmans du monde s'unissent et prennent conscience du danger qui les menace tout en menaçant l'ensemble de l'humanité.

Le wahhabisme ou l'islam au pied de la lettre

13 janvier 2016 *

* *Le 1* n° 89, « Que veut l'Arabie saoudite ? ».

D epuis 1979, date de la révolution islamique iranienne, l'Arabie saoudite n'est plus en paix avec elle-même. L'Iran chiite lui conteste la gestion des lieux saints de l'islam. L'une des premières initiatives du roi Salman fut, en mars 2015, une guerre contre le Yémen. Il a engagé son armée dans le but de remettre au pouvoir Mansour Hadi renversé par la révolte des houthistes, qui sont chiites. Pendant ce temps-là, ce sont principalement les avions des Occidentaux qui combattent l'avancée de Daech. Pierre Conesa rappelle dans *Le Monde diplomatique* de décembre 2015 que les Américains déploient quatre cents avions et les Français une quarantaine pour bombarder les centres névralgiques de Daech et que l'Arabie saoudite n'engage qu'une quinzaine d'avions en Irak, soit pas plus que les Pays-Bas et le Danemark réunis. En revanche, une centaine d'avions saoudiens bombardent les chiites du Yémen. Ainsi, la priorité de Riyad n'est pas la lutte contre l'établissement d'un « État islamique » sunnite au Proche-Orient et même au Maghreb, mais la lutte contre le chiisme.

C'est une vieille habitude. En 1802, la prise de Kerbala par les wahhabites saoudiens a abouti au massacre des populations chiites. Plus récemment, en 2012, l'armée saoudienne est intervenue à Bahreïn pour briser la contestation républicaine menée par des chiites contre la monarchie sunnite de la famille Al-Khalifa. C'est pour cela que la rupture actuelle avec l'Iran était dans la logique des choses. En exécutant le cheikh Nimr Baqer Al-Nimr, opposant chiite, ainsi que quarante-six autres personnes condamnées pour terrorisme, Riyad intensifie sa lutte contre l'autre tendance de l'islam (10 % des Saoudiens sont chiites).

Mais l'Arabie saoudite fait fausse route et se trompe dans son analyse. Cet État n'est pas à une contradiction près.

Au départ, c'était une société bédouine qui vivait dans le désert selon le rite wahhabite, du nom de Mohammed Ben Abd Al-Wahhab, un théologien du XVIIIe siècle. Il prônait une pratique stricte d'un islam étriqué et compris au pied de la lettre. D'où l'application de la *charia*, un code primitif qui a recours à des sévices physiques et à la mort pour tous ceux qui s'en écartent ou le critiquent (tête tranchée le vendredi à la sortie des mosquées). Peut-être qu'à l'époque les gens trouvaient cela normal. Mais à partir du moment où le pays est passé du dénuement quasi total à un enrichissement énorme, le Saoudien a gardé un pied dans le VIIe siècle et a posé l'autre pied dans le XXe. Aujourd'hui, c'est encore plus visible dans la mesure où la technologie la plus avancée et l'électronique la plus efficace baignent dans un anachronisme schizophrénique.

Ce que dit et fait Daech est puisé directement dans les wahhabismes saoudien et qatari.

Contrairement aux terroristes d'Al-Qaïda, les dirigeants de Daech ont l'intention de répandre, non pas l'islam, mais l'islamisme dur qui coupe les mains du voleur, décapite l'étranger, défenestre l'homosexuel et l'achève en lui passant dessus avec un bulldozer. Daech considère que tous ceux qui ne partagent pas sa conception de l'islam sont des ennemis à éliminer : ça commence avec les musulmans chiites, ensuite les musulmans suivant le rite malékite, connu pour sa modération et son adaptation à la vie moderne, puis les autres religions, sans parler évidemment des agnostiques, des athées, etc. C'est cet islam que défend depuis toujours l'Arabie saoudite ; cela explique qu'elle a financé, du moins un certain moment, les troupes sunnites de Daech.

Si on veut lutter contre des djihadistes qui se font exploser dans la foule en Europe, il faut commencer par repenser les relations que les pays européens entretiennent avec les deux pays du Golfe qui pratiquent le rite wahhabite et tiennent un double discours. On ne peut pas fermer les yeux sur le mode de vie de gens avec lesquels on fait des affaires. Ce n'est pas de l'ingérence, mais un devoir de leur dire : « Quand vous serez un État de droit, quand vous serez dotés d'une Constitution qui respecte l'homme et la femme, quand vous aurez une justice fondée sur le droit, nous pourrons travailler ensemble. Pour le moment, votre système est une usine à fabriquer des terroristes. » Cette déclaration coûterait dix milliards à la France ! Évidemment, elle n'est pas prête à la prononcer, quel que soit son président.

On n'imagine pas les dirigeants saoudiens ou qataris renoncer au wahhabisme. C'est leur idéologie, leur religion, leur vision du monde. Mais on doit faire barrage aux financements qui arrivent de ces pays pour des mosquées ou des associations qui sont, au fond, des alibis pour répandre le wahhabisme.

L'islam en France devra devenir l'islam de France, c'est-à-dire une religion parmi d'autres, s'accommodant de la laïcité, du droit, de la démocratie, autrement dit du mode de vie choisi par le peuple de France. Avec le temps et un peu de souplesse, cet islam existera. Pour cela, tout le monde doit faire des efforts, les musulmans et les autorités françaises.

La lutte est longue et difficile. C'est l'occasion de se réconcilier avec les musulmans stigmatisés, mal acceptés, qui souffrent autant que le reste de la population des crimes que le terrorisme commet au nom de l'islam et pour le djihad.

L'antisémitisme des cages d'escalier

3 février 2016 *

* *Le1* n° 92, « Pourquoi les Juifs ont peur ».

Quand je vais dans des écoles pour parler du racisme avec des enfants, je commence par leur demander de ne pas hésiter à poser les questions qui les préoccupent le plus. Je les mets à l'aise pour qu'il n'y ait pas de tabou. Ce fut ainsi qu'en novembre 2009, Kader, 14 ans et encore en classe de sixième, se leva et me dit sur un ton rapide : « Pourquoi les éboueurs sont tous des Noirs ou des Arabes, jamais des Juifs ? » Sans me laisser le temps de lui répondre et sous les rires inconvenants de ses camarades, il poursuivit en récitant les clichés de l'antisémitisme de base (l'argent, les banques, les médias, les complots). Apparemment, les Juifs cristallisaient ses hantises. Ce garçon, qui avait comme ses camarades accumulé les échecs scolaires – c'était une classe spéciale dans un collège parisien –, avait besoin d'un bouc émissaire. Les Juifs remplissaient ce rôle. Je me rendis compte aussi qu'il n'était pas le seul à se focaliser sur les Juifs.

Cet antisémitisme est fréquent et s'installe par manque d'éducation et parce que l'amalgame est facile. La parole libérée, chacun allait de son reproche. Je sentis qu'il y avait là beaucoup de travail à entreprendre. Ces élèves étaient déjà des déclassés. Au fond, nombreux étaient ceux qui visaient l'État d'Israël et l'injustice faite au peuple palestinien. Certains reprochaient à la France de venir systématiquement au secours d'Israël, oubliant les souffrances des populations palestiniennes dues à l'occupation et à l'embargo, notamment à Gaza. L'expression la plus entendue fut : « deux poids, deux mesures ». Nous étions loin de la question de Kader. J'ai dû faire un cours de science politique et d'histoire, mais il n'y avait rien à faire, le racisme avait creusé son sillon parmi ces adolescents qui n'approfondissaient pas les problèmes.

De là, j'ai imaginé les discussions qui devaient avoir lieu dans les cages d'escalier où les « Feujs » étaient stigmatisés, et personne ne venait pour les instruire. J'ai compris ensuite que leurs frustrations étaient doublées de rancœurs et de mal-être. Parce qu'à leurs yeux, les Juifs réussissent mieux en général et ne dissimulent pas leur soutien à Israël.

L'extrême avait été atteint avec l'affaire Ilan Halimi, enlevé dans la région parisienne, séquestré, torturé, puis massacré par le « gang des barbares » en janvier 2006. Évidemment, ces élèves n'avaient rien de tortionnaires, mais on sait, hélas, que le discours raciste ouvre la voie à des dérives qui peuvent mener à des tragédies. C'est pour cela que la lutte contre tous les racismes doit être quotidienne et s'intégrer à l'enseignement de toutes les matières. Ces élèves excédés sont, au fond, gagnés par le désespoir et la fatalité de l'échec, tous les échecs. Leur antisémitisme révèle l'étendue d'un malaise exacerbé et incline les plus faibles et les plus désespérés d'entre eux à suivre les recruteurs du djihad.

Radins !

30 mars 2016 *

---

* *Le 1* n° 100, « Culture, le grand sacrifice ».

La France déploie beaucoup d'énergie et d'efforts pour vendre de l'armement à l'étranger et rogne sur le budget de ses instituts culturels dans le monde. Tous les gouvernements de ces dernières décennies ont fait la même erreur et le même mauvais calcul. La France ferme les yeux sur les droits de l'homme dans ces pays qui s'arment en permanence, puis elle consent à dépenser quelques miettes pour sa présence culturelle à l'étranger.

Les instituts culturels souffrent d'un manque de moyens pour faire bien leur travail. Quand ils invitent un écrivain ou un artiste, ils raclent les fonds de tiroir ou demandent à des sponsors de les aider à faire connaître ce que la France produit de mieux, en tout cas d'important.

Au Viêt-nam, plus personne ne parle le français en dehors de quelques personnes âgées ou des très jeunes qui suivent des cours dans les Alliances françaises. Aux États-Unis, depuis la disparition d'Alain Robbe-Grillet, de Michel Foucault et de Jacques Derrida, qui étaient très souvent invités dans les universités américaines, on ne voit la France que comme le pays des 365 fromages et les éditeurs traduisent de moins en moins les écrivains français.

Miser sur une présence culturelle forte et variée est le meilleur moyen de renforcer l'image de ce pays et de ses choix en politique étrangère. À quoi sert de faire des économies quand on constate le recul et l'affaiblissement de l'influence française dans le monde ?

Autre chose, s'agissant des anciens pays colonisés : l'Afrique et le Maghreb font un triomphe aux langues françaises. Là aussi, les instituts doivent se débrouiller sur place avec des budgets faibles, du moins insuffisants. Je sais, les instituts français au Maroc sont, dit-on, les mieux dotés. Peut-être, mais la demande est importante. Certaines familles font l'impossible pour inscrire leurs enfants dans les écoles de la mission française. Les consuls et les ambassadeurs n'en peuvent plus des interventions pour inscrire les enfants de tel ou tel responsable dans ces écoles, qui en outre sont payantes.

La France a besoin de réviser sa politique étrangère. Elle devrait donner la priorité à la diffusion de ses créations culturelles, ce que les Allemands et les Espagnols font de plus en plus. On ne peut pas continuer à jouer sur le tableau de la francophonie politique (l'organisation de sommets des chefs d'État des pays francophones est un gaspillage d'argent scandaleux) et négliger l'expansion et le développement des langues françaises qui sont la source et l'énergie du génie français tel qu'il a été illustré par Hugo ou Voltaire.

Les balançoires de Lahore

6 avril 2016 *

---

* *Le 1* n° 101, « Attentats, comment vivre avec ».

La cruauté terroriste n'épargne personne. Pas même les enfants. Comme dirait l'autre : « N'oubliez pas les enfants ! » Non, pourquoi les oublier, surtout un dimanche de Pâques, en pensant qu'ils sont chrétiens. Qu'importe, le parc est ouvert à tous les enfants qui aiment les balançoires. Un jeu aimé de tous les enfants. On s'y sent si léger, on a l'impression de voler, d'être un ange qui toise les nuages.

C'est là, dans ce parc plein d'enfants de tous âges, qu'un pauvre type s'est fait exploser le 27 mars. Ses chefs doivent être fiers de lui : 72 morts et 340 blessés. Il a réussi son désastre. On lui a dit que la voie du paradis passait par ce parc. Il n'a pas hésité, a mis son blouson comme pour aller faire une promenade, puis les cris des enfants jouant et s'amusant l'ont attiré. Dans un élan précis et bref, il les a rejoints, membres et sang mêlés. Ce ne sont plus des anges qui rient, ce sont des corps déchiquetés et qui n'ont plus de noms.

Cela s'est passé à Lahore, capitale de la province du Pendjab, au Pakistan. C'est loin, très loin de Bruxelles. Pourtant, l'odeur de la chair calcinée parvient jusqu'à nous. Il suffit de regarder les images et le reste suivra.

Lahore. Un parc. Une tragédie. Regardons la carte. Elle dégage cette odeur forte et compacte de la mort éparpillée. Bruxelles, Paris, Tunis. Une géographie contrariée, blessée, meurtrie et sans espoir. Des spécialistes pénètrent en se bouchant le nez dans la tête des terroristes et essaient de repérer le lieu du prochain massacre. Tiens, Amsterdam ! Berlin ou Rome, ça a de la gueule dans un palmarès. On n'est pas des touristes. Bon, Madrid, c'est fait, Londres aussi. Ouagadougou, c'est fait, Abidjan aussi… Pas mal de boulot encore. Les candidats au paradis ne manquent pas. Il faut bien qu'ils s'occupent.

La même semaine, d'autres pauvres types se sont fait exploser à Bagdad. Là, ils n'ont pas choisi une population particulière. Pourvu que ce soit une foule compacte et anonyme. Il faut que ça saute et que le compteur des morts continue de tourner. Il tourne pas mal en ce moment, comptabilise l'horreur partout dans le monde ; on n'oublie personne. La balance penche du côté des victimes musulmanes. Normal. La terreur est large, elle est immense, tantôt blanche, tantôt de toutes les couleurs. C'est avec ça qu'ils distribuent de la douleur comme un spot diffuse de la lumière.

Pendant ce temps-là, G.W. Bush coule des jours paisibles dans son ranch. Sait-il au moins ce qu'il a déclenché, en mesure-t-il l'ampleur ? Non, il peint et scrute l'horizon ; il tourne le dos au monde et ne connaît pas d'insomnie.

Un pays sur les nerfs

1er juin 2016 *

---

* *Le 1* n° 109, « La France qui craque ».

Quand, dans un pays, la démocratie ne procure plus de frissons, quand les idéaux politiques se fanent et se transforment en clichés de « com », quand on ne parle plus ni de « peuple », ni des « classes sociales » et de leurs luttes, quand on s'ennuie gentiment en persévérant dans son être avec une troublante lassitude, quand la société du spectacle se généralise et sème de plus en plus de vulgarité et de médiocrité, quand l'intelligence et la raison prennent des vacances, quand le souci de carrière l'emporte sur l'intérêt national, alors quelque chose s'est détraqué dans le mécanisme du pouvoir et de la relation des citoyens au politique.

Emil Cioran disait des choses bien méchantes sur les Français et les accusait de « préférer un mensonge bien dit à une vérité mal formulée ». Il y a eu tant de mensonges de la part des hommes politiques, de droite comme de gauche, que la formule n'est plus importante : un président qui ne tient pas ses promesses ; un Premier ministre qui gère mal ses nerfs ; un dirigeant syndical qui enclenche un engrenage dangereux sans tenir compte de ceux qui risquent de perdre leur travail… Tout cela contribue à rendre l'air pesant et le ciel vide.

Dans son pamphlet *De la France*, Cioran est allé plus loin et a écrit : « La France n'a plus de destin révolutionnaire, car elle n'a plus d'idées à défendre. » Dur ! Cioran exagérait et aimait provoquer. Mais il était doué d'une lucidité particulière, même si, dans sa jeunesse, il en manqua cruellement.

Entre-temps, les choses se sont beaucoup dégradées. Depuis quelques années, le pays éprouve une grande fatigue. Certains ont parlé de déclin, d'autres d'effondrement des valeurs. La fonction présidentielle a perdu de son poids et de son autorité. Le niveau de la classe politique dans son ensemble a baissé. Une chose est sûre, une tension existe ; elle se traduit par des éclats de violence. En 2005, durant plus de trois semaines, des milliers de voitures furent incendiées. On avait dit à l'époque : « Ce sont des jeunes des banlieues qui ont raté leur intégration. » Aujourd'hui, les jeunes de Nuit debout ne viennent pas des banlieues malades. Leur mal-être s'est exprimé de manière confuse, mais quelque chose a été dit et je ne pense pas que le pouvoir ait entendu. La confrontation entre les manifestants et la police est de plus en plus brutale. La haine du flic s'est banalisée. On sent quelque chose de funeste dans l'air. Aucune réforme n'est possible. Plus de vrai dialogue entre les dirigeants et les syndicats. La colère et la mauvaise humeur régissent le quotidien. Certains étrangers pensent que la France est au bord de l'explosion. Le journal suisse *Le Temps* a titré « Cette France qui craque ». Il y a de la haine ; elle traverse certains événements. Tout le monde est ulcéré. On pense à soi et on oublie la France, son rang, son destin, sa place dans le monde. Peut-être qu'on l'aime moins parce que les temps sont difficiles.

Curieusement, plus les syndicats sont faibles (le taux des travailleurs syndiqués est ici de l'ordre de 7,7 %, alors qu'au Danemark il approche les 70 %), plus ils ont recours au blocage. Ils ont besoin d'exister, de marquer l'époque par leur intransigeance, par leur refus de la réalité et des temps qui changent. Ils paralysent le pays et son économie, même si cela fait perdre du travail à ceux qui viennent de sortir du chômage.

Il est fondamental qu'une société ait des syndicats forts et responsables. Il est vital pour une démocratie que la négociation soit un réflexe et que le dialogue fasse avancer les choses jusqu'à atteindre la fameuse « paix sociale ». Mais on a l'impression que tout le monde est sous l'effet d'un médicament qui aurait provoqué tous ses effets indésirables à la fois. Personne n'y échappe, ni les dirigeants des syndicats ni ceux qu'ils affrontent dans une bataille aux dimensions disproportionnées.

Dès qu'on voyage, on perçoit dans le regard et les paroles des autres que la France est crispée, froissée, quelque peu désorientée. Les dizaines de milliers de jeunes talents qui l'ont quittée ne cessent de rappeler combien ce pays, en proie à une bureaucratie stupide, est victime de rigidités, comme si la vieillesse l'avait accablé. Ils ne comprennent pas pourquoi ce grand et beau pays n'a pas su les retenir.

Si les syndicats ont manqué d'imagination et ne connaissent que l'arme de la grève, si leurs dirigeants ont perdu du terrain et ne sont plus capables de s'adapter aux évolutions de la modernité, il n'y a rien à faire. Les dernières décisions de la CGT ont dû faire un immense plaisir au Front national. Elles lui ont offert en cadeau de nouveaux adhérents. C'est ce que disait l'autre matin un homme politique en colère. En se radicalisant, ils perpétuent un sentiment d'impuissance, un sentiment du progrès déficitaire. Ils appellent cela le « rapport de force » ou le « bras de fer », et au fond, ils savent qu'ils ont tort et que la population n'en peut plus de vivre une « guerre sociale ».

Pour ce qui est des investissements, la France est l'un des pays les moins attractifs d'Europe (l'Allemagne l'est cinq fois plus qu'elle sur le plan économique). La petite « guerre sociale » et une certaine arthrose y sont assurément pour quelque chose.

« Décadence » et « pureté »

22 juin 2016 *

La démocratie et l'État de droit ne sont pas armés pour lutter contre le terrorisme. Même l'état d'urgence en cours actuellement en France n'a pas permis d'empêcher le meurtre du commissaire de police et de sa compagne à Magnanville. Ce qui est inquiétant, c'est que les médias nous apprennent que la police connaissait cet individu et qu'il faisait partie des « S ». Il en est de même de l'Américain d'origine afghane qui a perpétré un massacre au club gay à Orlando. Il était connu du FBI et rien n'a été fait pour anticiper ce qu'il allait entreprendre.

Il faut « entrer » dans la tête de ces individus qui sont décidés à anéantir non seulement des gens, mais leur mode de vie, leur liberté, leur singularité. Il faut aussi revenir aux textes religieux et en faire une lecture littérale, c'est-à-dire wahhabite, comme ils le font eux-mêmes, pour apprendre que l'islam condamne l'homosexualité et lui réserve le pire des châtiments.

Que dit l'islam ? Il ne laisse place à aucune ambiguïté.

Quatre versets dans trois sourates la rejettent en la comparant à une « aberration », « un crime », « une turpitude » qu'il faut très sévèrement punir. En plus de la justice exercée par les hommes à l'encontre des homosexuels, il y a celle de Dieu : l'homosexuel est maudit, rejeté ; Dieu ne posera pas ses yeux sur ce « pécheur et ce criminel ». Aucune miséricorde ne sera accordée à celui qui va contre la loi de Dieu.

L'islam considère l'homosexualité comme un crime bien plus grave que l'adultère et les relations avant le mariage. Pire que tout, unir deux hommes est considéré comme une révolte contre Dieu, une désobéissance intolérable. Ce « crime » est puni par la lapidation, ou toute autre peine capitale, car il introduit dans la cité des pratiques qui remettent en question, non pas la nature, mais l'ordre décidé par Dieu. Cette « décadence » des mœurs est jugée comme un égarement défiant l'ordre divin.

Le Coran parle de Loth, le personnage de la Genèse, en ces termes :

> Souvenez-vous de Loth ! Il dit à son peuple : « Vous livrez-vous à cette abomination que nul parmi les mondes n'a commise avant vous ? Vous vous approchez des hommes de préférence aux femmes pour assouvir vos passions. Vous êtes un peuple pervers. » (Sourate VII, verset 81.)

Le verset suivant est encore plus clair :

> La seule réponse de son peuple fut de dire : « Chassez-les de votre cité ; ce sont des gens qui affectent la pureté. »

Cette notion de pureté est essentielle dans l'islam, car c'est ce qui conditionne l'accomplissement de la prière, du jeûne du ramadan et du pèlerinage à La Mecque. La pureté, ou purification, est la base de toute pratique de la foi musulmane. C'est pour cela que les petites ablutions sont obligatoires avant la prière, et les grandes (laver tout le corps) après l'acte sexuel. Or l'homosexuel est celui qui, même s'il se lave, reste impur intérieurement. Il ne peut être un musulman du fait que la souillure principale vient de sa rébellion contre Dieu. Dans la sourate XXVII, la parole coranique revient là-dessus :

> Chassez de votre cité la famille de Loth :
> voilà des gens qui affectent la pureté. »

L'adjectif *louate*, en arabe, désigne le dragueur homosexuel.

Les codes civils de certains pays musulmans parlent de « pratique contre nature », punie de prison. Certains vont jusqu'à la peine capitale. En Iran, l'homosexuel est soumis à la flagellation, et s'il persévère, à la troisième récidive, il est condamné à mort. Au Nigeria, la peine capitale est prévue pour les homosexuels. Le Coran ne parle pas de nature, mais de rébellion contre la volonté divine, un peu comme le fait d'attenter à sa vie. Le suicide est condamné parce qu'il est perçu comme un défi à l'ordre divin.

Le Coran parle surtout de l'homosexualité masculine. La féminine est évoquée, mais elle n'est pas si sévèrement réprimandée. Le *Dictionnaire du Coran*, paru chez Robert Laffont [2007] sous la direction de Mohammad Ali Amir-Moezzi, nous informe que « la punition des femmes coupables de tribadisme (*sihâq*) est à la discrétion des autorités ». De même, il est question de l'amour des éphèbes (*amrad*) et des travestis, parce qu'ils sont efféminés (*mukhannath*). Cet amour est une adoration, pas un accouplement. Il est platonique et du domaine de l'esthétique.

Tout cela, le tueur d'Orlando le savait. Il a pris au pied de la lettre les versets concernant cette pratique sexuelle. Il a exécuté ceux que Dieu rejette hors de sa miséricorde. Ce terrorisme-là rappelle évidemment la tragédie du 13 novembre 2015 où les tueurs ont voulu anéantir le mode de vie libre et festif de la jeunesse occidentale.

Le message que nous adresse Daech est simple : l'Occident est dans la décadence et défie la toute-puissance de Dieu. Célébrer le mariage entre deux personnes du même sexe est considéré par la plupart des religieux comme une rébellion contre l'ordre et la volonté de Dieu. Les tueurs ne sont surtout pas des fous. Ce sont des gens déterminés à « purifier » un monde souillé par une liberté qui permet toutes les « aberrations ». Les considérer comme des fous, c'est une façon d'atténuer la gravité de leurs actes.

Un miroir immense et vide

10 août 2016 *

* *Le 1* n° 117, « Dernières nouvelles du désert ».

Il était une fois des Bédouins d'Arabie qui vivaient heureux sous des tentes, se déplaçaient à dos de chameau et prenaient le temps de rêver au paradis qui, leur avait-on dit, n'était pas loin des sables. Ils vivaient aux alentours des lieux saints de l'islam dont ils devinrent les gardiens. Ils avaient fait du désert leur territoire, leur mémoire et leur culture. Au XVIIIe siècle, un théologien du nom de Mohammed Ben Abd Al-Wahhab proposa au doyen de la famille Al-Saoud de pratiquer un islam selon la *charia* pure et dure. Cela donna le rite wahhabite, qui est toujours en usage non seulement dans le royaume saoudien, mais aussi au Qatar. Et puis un jour, un liquide noir et puissant jaillit du sous-sol. Taches noires sur la limpidité du désert. Jour funeste, car cette noirceur était celle d'une énergie, le pétrole. Depuis, les tentes ont disparu et les dromadaires sont morts de tristesse. L'argent arrivait de partout et le désert s'est éclipsé comme s'il n'était plus qu'un décor ou un lointain souvenir. La suite, on la connaît. Tant d'argent ne faisait pas forcément le bonheur. Tout retour vers les origines était devenu illusoire. L'engrenage s'est amplifié et la vie de ces familles s'est compliquée. Les enfants devinrent obèses et les émirs de plus en plus nombreux ne savaient comment dépenser tant d'argent. Ils eurent de quoi construire des palais et faire la guerre. Les traditions bédouines furent maintenues, surtout en ce qui concerne le statut de la femme. On coupe les mains des voleurs, on lapide les femmes accusées d'adultère, et le vendredi, sur la place publique, on tranche la tête de l'apostat ou autre condamné.

On est loin, très loin de l'image que donnait l'historien et premier sociologue Ibn Khaldun (1332-1406) des gens du désert qui, écrivait-il, « sont plus sains de corps et d'esprit que les gens des collines qui vivent d'abondance. Ils ont le corps plus net et mieux fait. »

Le désert n'avait pas bougé. Lieu désolé, lieu de dévastation, il entourait l'indécence d'une vie extravagante où il n'y avait plus de limites. Ce fut tout de même dans cet espace d'ascèse et de silence que les Arabes affermirent leurs traits de caractère, leur tempérament. Et personne ne leur a disputé ce privilège, pas même le fameux Lawrence d'Arabie.

Espace de fascination, le désert n'est pas le néant. Il n'est ni vide ni abandonné. Il est vivant. Seuls quelques citadins pris dans le stress des capitales pensent trouver la paix dans un lieu dépouillé de tout. Peut-être que c'est là que tout se complique et aggrave les tensions.

Le désert n'est pas un espace anodin. Il est chargé d'histoire et de légendes. Le jour le rend accessible, la nuit le sublime et le peuple de mythes. C'est un miroir, immense et vide, une scène où des ombres interviennent pour déjouer des complots plus ou moins imaginaires.

Ézéchiel, aux environs du VIᵉ siècle avant J.-C., écrivait dans sa « Prophétie contre l'Égypte » :

Je fais d'Égypte un désert dévasté
Que nul pied d'homme ou de bête n'y
passe
Je fais d'Égypte un désert des déserts,
De ses cités, les débris des débris...

Cette colère fait du désert un lieu hostile, un ennemi de l'homme, un espace de la stérilité et du rien. Cette vision n'a pas été dépassée et le désert a toujours cette place ambiguë, ambivalente et étrange. Certains prévoient le pire. Les guerres qui se profilent à l'horizon entre sunnites et chiites risquent d'accomplir le vœu du prophète Ézéchiel.

Les Arabes n'ont pas la même vision du désert que l'ensemble du monde occidental. Ils ne fixent pas leurs fantasmes sur les sables. Ils n'en font pas un lieu de villégiature, ni de repos et de méditation. Depuis la découverte du pétrole, ils le considèrent comme un trésor, ce qui, paradoxalement, n'a cessé d'aggraver les problèmes du monde arabo-musulman. Certains pensaient qu'avec cet argent les pays du Golfe allaient aider les Palestiniens à récupérer leurs territoires occupés. Erreur. L'Arabie saoudite a préféré dépenser pas mal d'argent dans une guerre inutile au Yémen. Le Qatar a fait son marché en Europe, achetant les plus beaux lieux, des palaces, des maisons historiques, des équipes de football, des joueurs, etc., tout en continuant à traiter les ouvriers immigrés comme des esclaves des temps anciens.

Le désert appelé Sahara qui trace une large frontière entre le Maghreb et l'Afrique noire est plus humain, plus accessible, probablement parce qu'il n'a pas été souillé par ce qu'on appelle « l'or noir ». On s'y déplace comme dans un conte des *Mille et Une Nuits*. Voilà que des Africains venus d'un peu plus bas marchent à pied dans ce Sahara avec l'espoir de traverser un jour le détroit de Gibraltar et de trouver du travail en Europe. Le désert n'est plus qu'un passage, une route vers l'exil, vers la mort. Ils lui tournent le dos, l'oublient et ont les yeux rivés sur l'horizon lointain où s'érigent des mirages et des fantômes. De ce désert-là, ils ne gardent rien.

Théodore Monod, celui qui connaissait le désert sur la pointe des pieds, écrit dans ses carnets :

> Le désert est une chose qui est belle, qui ne ment pas, qui est propre [...]. Alors si on va au désert, il faut le respecter. Il vous apprend une grande simplification de la vie.

L'homme
qui ne change pas

7 décembre 2016*

---

* *Le 1* n° 133, « Hollande, merci pour ce moment ».

François Hollande illustre à la perfection le constat de Spinoza : « Tout être persévère dans son être. » Autrement dit, l'homme ne change pas, au contraire, il développe en profondeur ce qu'il est et persiste dans son être quels que soient ses défauts et ses qualités.

La première fois que j'ai rencontré François Hollande, c'était en juillet 2007. Je quittais en voiture l'aéroport de Tanger où j'étais venu chercher un de mes enfants qui rentrait de Paris. Je vois un monsieur en costume foncé, cravate malgré la chaleur, attendant avec sa petite valise sur le bord de la route comme s'il faisait de l'auto-stop. C'était un petit gros, presque insignifiant, assez sympathique, genre fonctionnaire modeste. Je m'arrête et lui propose de le ramener en ville. Il me remercie et me dit qu'il attend des amis qui sont en retard.

Je saurai plus tard qu'il était venu rejoindre la femme qu'il aimait clandestinement à l'époque, Valérie Trierweiler. J'apprendrai aussi qu'il est du genre à compenser son aspect physique, qui n'est pas celui d'un bel homme, par un sens de la repartie, par l'intelligence et l'humour.

Je connaissais Valérie en tant que journaliste et je la trouvais belle et sensuelle. Je ne pouvais imaginer qu'elle tomberait amoureuse de cet homme. Pourtant, ce fut ce qui arriva. Elle l'avait pris en main, l'avait fait maigrir et filait avec lui le parfait amour.

C'est un homme complexe. Son tempérament ne correspond ni à son allure générale ni à son physique. Pourtant, c'est un homme dur ; il a un grand appétit de vivre – le *Guide Michelin* est sa bible – et ne supporte pas de perdre une minute. Il n'a pas d'affect, pas d'empathie. Il est opportuniste et sait se servir des autres. Il aime le combat et respecte les combattants. L'ENA est l'unique logiciel qu'il respecte et suit. Il n'est pas influençable. Il fait semblant d'écouter ses conseillers et amis, mais n'en fait qu'à sa tête. J'ai découvert cet aspect chez lui peu après qu'il m'eut demandé de lui parler du Maghreb. Il ne suivait aucun de mes conseils. Je savais qu'il avait un penchant pour l'Algérie, où il avait fait un stage au moment de ses études à l'ENA. Au lieu de faire une tournée dans les trois pays de cette région, il fit un voyage unique en Algérie, ce qui n'était pas très diplomatique.

En politique, il a ses convictions et rien ne le décourage. C'est un trait de caractère important : il ne change pas de trajectoire. Ni les sondages qui lui sont défavorables, ni la presse qui n'est pas tendre avec lui ne l'ébranlent. À part la tragédie des attentats de janvier et de novembre 2015 à Paris, rien n'a pu l'affecter. Ni la femme qui a versé sur sa tête un sac de farine pendant sa campagne électorale, ni son ami Cahuzac dont la trahison est une sorte d'humiliation, ni la pluie qui ruisselle sur son corps en plusieurs occasions ne lui ont fait perdre son sang-froid. C'est une force.

On aurait dû savoir que cet homme n'est pas un mou. Il a tenu sa promesse de ne jamais se marier. Il a fait quatre enfants à Ségolène Royal sans passer devant le maire pour officialiser leur relation. Valérie espérait beaucoup qu'il changeât d'avis une fois devenu président. Elle était même persuadée que pour des raisons politiques et pratiques, il allait se marier avec elle. Illusion ! C'est un homme qui ne change pas. La preuve : personne dans son entourage n'avait été mis au courant de sa décision de ne pas se représenter. Il n'écoute que ses silences, ses pensées profondes auxquelles personne n'a accès.

La gauche
est dans l'escalier

22 mars 2017 *

Au Maroc, ma génération a été élevée dans l'esprit de la gauche française. Elle a été notre référence, notre espoir, notre refuge. Le parti communiste avait un statut à part. Par gauche, nous entendions progrès social, justice pour les démunis, égalité de l'homme et de la femme (émergence de l'individu), primauté de l'intérêt national sur le particulier, solidarité avec les peuples opprimés ou vivant sous occupation coloniale. Dans notre esprit, la gauche se confondait avec une fraternité par-delà les frontières, une générosité rejetant l'égocentrisme d'une partie de l'Occident.

La gauche, c'était un état d'esprit, une vision du monde, un mode de vie, un engagement afin de rendre la douleur du monde moins épaisse, moins lourde et pour aller de l'avant vers un avenir sans guerre.

La gauche, c'était un rêve. Rêve d'un « avenir radieux » selon l'expression d'Alexandre Zinoviev, même si ce titre était ironique. Nous voulions la lumière, c'est-à-dire cette liberté émanant d'un État de droit, avec une justice indépendante et du politique et des milieux de l'argent.

Nous étions naïfs, et nous le savions. Mais quand on est jeune, tous les rêves sont permis, disions-nous.

Vues d'un Maroc vivant sous une chape de plomb, les valeurs portées par la gauche telle que nous l'imaginions ne pouvaient qu'être libératrices et progressistes. Mais la gauche française allait petit à petit perdre ses gènes, ses racines, ses qualités premières. D'abord, la découverte du stalinisme et de ses crimes, ensuite l'émergence d'un socialisme tiède et « réaliste » et l'abandon de quelques exigences fondamentales au profit d'accommodements politiciens allaient ouvrir la voie à la faillite de la gauche. Cela mettra du temps, trois ou quatre décennies, mais nous voilà aujourd'hui orphelins de la gauche telle que nos rêves l'avaient dessinée.

Aujourd'hui, on trouve normal et même très acceptable le fait qu'un candidat à l'élection présidentielle soit et de gauche et de droite, réalisant ainsi une synthèse que nous ne pouvions imaginer. Et face au danger réel de l'extrême droite et au repli et conservatisme d'une droite rigide, nombre d'hommes et de femmes de gauche s'autopersuadent que la voie médiane est la seule solution. Finie, la gauche. Soyons réalistes. Ce ne sont plus les idées qui gouvernent le monde, c'est le marché de l'argent mondial qui décide du sort des peuples.

C'est dans ce contexte de plus en plus violent que l'histoire est en train d'effacer les valeurs de gauche dans le monde. Le nationalisme lié au populisme aboutit à la fermeture non seulement des frontières, mais aussi des mentalités. L'élection de Trump, la politique de rejet des réfugiés dans des pays comme la Hongrie, la Pologne et bien d'autres, les scores de plus en plus inquiétants que les sondages accordent à l'extrême droite, que ce soit en Hollande ou en France, les tragédies du terrorisme au nom d'une religion détournée de son sens, l'afflux de migrants désespérés, tout cela alimente les peurs et les ignorances sur lesquelles joue l'extrémisme de droite, pendant que le discours de la gauche (la gauche de la gauche) devient inaudible ou irréaliste.

Le peuple est inconstant. Nous avions l'illusion de croire que le peuple est toujours de gauche. Erreur. Il peut l'être, comme il peut changer d'optique et applaudir un régime autoritaire. C'est le constat le plus douloureux que les militants d'avant sont obligés de faire. Le monde accepte aujourd'hui d'assister sans bouger à la destruction du peuple syrien, à l'augmentation quasi quotidienne des colonies dans les territoires palestiniens occupés, à la falsification de l'histoire qui nourrit une grande nostalgie pour les années du fascisme. La seule nostalgie que j'ai encore est celle d'une époque où, tous les samedis, le peuple de France descendait dans les rues pour manifester contre la guerre au

Viêt-nam, contre le racisme et l'exclusion, contre les dictatures en Amérique latine et dans le monde arabe. C'étaient les années soixante-dix. C'était un des derniers échos de Mai 68.

Table des matières

Chez le même éditeur
(extrait)

Laurent Bibard, *Terrorisme et féminisme*

Régis Bigot, *Fins de mois difficiles pour les classes moyennes*

Jean Blaise, Jean Viard, avec Stéphane Paoli, *Remettre le poireau à l'endroit*

Guy Burgel, *Questions urbaines*

Isabelle Cassiers (dir.), *Redéfinir la prospérité*

Isabelle Cassiers, Kevin Maréchal, Dominique Méda (dir.), *Vers une société post-croissance*

Laurent Chamontin, *L'empire sans limites. Pouvoir et société dans le monde russe*

Bernard Chevassus-au-Louis, *La biodiversité, c'est maintenant*

Pierre Clastres, *Archéologie de la violence. La guerre dans les sociétés primitives*

Daniel Cohn-Bendit, avec Jean Viard et Stéphane Paoli, *Forget 68*

Pierre Conesa, *Guide du paradis. Publicité comparée des Au-delà*

Ernst-Robert Curtius, *Essai sur la France*

Boris Cyrulnik, *La petite sirène de Copenhague*

Boris Cyrulnik, Edgar Morin, *Dialogue sur la nature humaine* (existe en version illustrée par Pascal Lemaître)

Caroline Dayer, *Sous les pavés, le genre*

Caroline Dayer, *Le pouvoir de l'injure*

Jean-Baptiste Decherf, *Le grand homme et son pouvoir*

Antoine Delestre, Clara Lévy, *L'esprit du totalitarisme*

Christine Delory-Momberger, François Durpaire, Béatrice Mabilon-Bonfils (dir.), *Lettre ouverte contre l'instrumentalisation politique de la laïcité*

François Desnoyers, Élise Moreau, *Tout beau, tout bio ?*

François Dessy, *Roland Dumas, le virtuose diplomate*

François Dessy, *Jacques Vergès, l'ultime plaidoyer*

Toumi Djaïdja, avec Adil Jazouli, *La Marche pour l'Égalité*

François Durpaire, Béatrice Mabilon-Bonfils, *Fatima moins bien notée que Marianne... L'islam et l'école de la République*

Victor Eock, avec Nicolas Balu, *La rage de survivre*

Yassine Essid, *La face cachée de l'islamisation. La banque islamique*

Bruno Étienne, *Une grenade entrouverte*

Thomas Flichy de La Neuville, *L'Iran au-delà de l'islamisme*

Thomas Flichy de La Neuville, Olivier Hanne, *L'endettement ou le crépuscule des peuples*

Thomas Flichy de La Neuville, *Les grandes migrations ne détruisent que les cités mortes*

Mathieu Flonneau, Jean-Pierre Orfeuil, *Vive la route! Vive la République!*

Jérôme Fourquet, *Karim vote à gauche et son voisin vote FN*

Jérôme Fourquet, Sylvain Manternach, *L'an prochain à Jérusalem? Les Juifs de France face à l'antisémitisme*

Jérôme Fourquet, *Accueil ou submersion? Regards européens sur la crise des migrants*

Jérôme Fourquet, *La nouvelle question corse. Nationalisme, clanisme, immigration*

Tarik Ghezali, *Un rêve algérien*

Hervé Glevarec, *La culture à l'ère de la diversité. Essai critique, trente ans après La Distinction*

Martin Gray, avec Mélanie Loisel, *Ma vie en partage*

Michaël Guet, *Dosta! Voir les Roms autrement*

Félix Guattari, *Lignes de fuite. Pour un autre monde de possibles*

Claude Hagège, *Parler, c'est tricoter*

Françoise Héritier, avec Caroline Broué, *L'identique et le différent*

Stéphane Hessel, évocations avec Pascal Lemaître, *Dessine-moi un Homme*

Stéphane Hessel, avec Gilles Vanderpooten, *Engagez-vous!*

Stéphane Hessel, avec Edgar Morin et Nicolas Truong, *Ma philosophie*

François Hollande, Edgar Morin, avec Nicolas Truong, *Dialogue sur la politique, la gauche et la crise*

François Jost, *Pour une éthique des médias*

François Jost, Denis Muzet, *Le téléprésident. Essai sur un pouvoir médiatique*

Jean-François Kahn, avec Françoise Siri, *Réflexion sur mon échec*

Marietta Karamanli, *La Grèce, victime ou responsable?*

Dina Khapaeva, *Portrait critique de la Russie*

Denis Lafay (dir.), *Une époque formidable*

Hervé Le Bras, *Le sol et le sang*

Soazig Le Nevé, Bernard Toulemonde, *Et si on tuait le mammouth?*

Franck Lirzin, *Marseille. Itinéraire d'une rebelle*

Mélanie Loisel, *Ils ont vécu le siècle*

Béatrice Mabilon-Bonfils, Geneviève Zoïa, *La laïcité au risque de l'Autre*

Noël Mamère, avec Stéphanie Bonnefille, *Les mots verts*

Virginie Martin, *Ce monde qui nous échappe*

Pierre Rabhi, *La part du colibri* (existe en version illustrée par Pascal Lemaître)

Dominique de Rambures, *Chine: le grand écart. Modèle de développement chinois*

Dominique de Rambures, *La Chine, une transition à haut risque*

Hubert Ripoll, *Mémoire de « là-bas ». Une psychanalyse de l'exil*

Laurence Roulleau-Berger, *Désoccidentaliser la sociologie*

Laurence Roulleau-Berger, *Migration et lutte pour soi*

Olivier Roy, avec Nicolas Truong, *La peur de l'islam*

Marlène Schiappa, *Où sont les violeurs ?*

Céline Schoen, *Parents de djihadiste*

Youssef Seddik, *Le grand malentendu. L'Occident face au Coran*

Youssef Seddik, *Nous n'avons jamais lu le Coran*

Youssef Seddik, avec Gilles Vanderpooten, *Tunisie. La révolution inachevée*

Ioulia Shukan, *Génération Maïdan. Vivre la crise ukrainienne*

Mariette Sineau, *La force du nombre*

René Souchon, *Ruralité: quel avenir ?*

Philippe Starck, avec Gilles Vanderpooten, *Impression d'Ailleurs*

Benjamin Stora, avec Thierry Leclère, *La guerre des mémoires. La France face à son passé colonial*, suivi de *Algérie 1954*

Philippe Subra, *Zones À Défendre*

Didier Tabuteau, *Dis, c'était quoi la Sécu ?*

Pierre-Henri Tavoillot, *Faire ou ne pas faire son âge*

Nicolas Truong (dir.), *Résistances intellectuelles*

Nicolas Truong (dir.), *Penser le 11 janvier*

Nicolas Truong (dir.), *Résister à la terreur*

Nicolas Truong (dir.), *Le crépuscule des intellectuels français*

Gilles Vanderpooten, Christiane Hessel (dir.), *Stéphane Hessel, irrésistible optimiste*

Christian Vélot, *OGM : un choix de société*

Pierre Veltz, *Paris, France, monde*

Jean Viard, avec José Lenzini, *Quand la Méditerranée nous submerge*

Jean Viard, *Le moment est venu de penser à l'avenir*

Jean Viard, *Le triomphe d'une utopie*

Jean Viard, *Toulon, ville discrète*

Jean Viard, *Marseille. Le réveil violent d'une ville impossible*

Jean Viard, *La France dans le monde qui vient. La grande métamorphose*

Jean Viard, *Nouveau portrait de la France*

Jean Viard, *Fragments d'identité française*

Jean Viard, *Lettre aux paysans et aux autres sur un monde durable*

Jean Viard, *Penser la nature. Le tiers-espace entre ville et campagne*

Jean Viard, *Éloge de la mobilité*

Jean Viard, *Le nouvel âge du politique*

Patrick Viveret, *Reconsidérer la richesse*

Julien Wagner, *La République aveugle*

Patrick Weil, *Être français* (existe en version illustrée par Pascal Lemaître)

Yves Wintrebert, Han Huaiyuan, *Chine. Une certaine idée de l'histoire*

Emna Belhaj Yahia, *Tunisie. Questions à mon pays*

Mathieu Zagrodzki, *Que fait la police ? Le rôle du policier dans la société*

Achevé d'imprimer en mars 2017
sur les presses de l'imprimerie CPI Bussière
pour le compte des éditions de l'Aube
331, rue Amédée-Giniès, F-84240 La Tour d'Aigues

Numéro d'édition : 2290
Dépôt légal : avril 2017
N° d'impression : 2029308

Imprimé en France

 IMPRIM'VERT®